# MISIÓN BÍBLICA JUVENIL

# LA PALABRA SE HACE JOVEN CON LOS JÓVENES

## Diario de la Misión

**Equipo Bíblico
del Instituto Fe y Vida**

**www.MisionBiblicaJuvenil.org**

**Nihil obstat:**  Claudio M. Burgaleta, S.J., S.T.L., Ph.D.
*Censor Librorum*
27 de mayo de 2008


**Permiso eclesiástico:**  The Most Reverend Stephen E. Blaire, D.D.
Obispo de Stockton, California, EUA
18 de junio de 2008

El *nihil obstat* es la declaración oficial de que un libro o texto está libre de errores doctrinales y morales, según las enseñanzas de la Iglesia católica. El permiso eclesiástico es la aprobación que da la autoridad eclesiástica para publicar un escrito.

**Queridos jóvenes,**

Bienvenidos a la Misión Bíblica Juvenil. Hoy es un día de gran alegría para la Iglesia, pues al igual que ustedes, muchos jóvenes se reúnen para compartir, escuchar y celebrar que la Palabra de Dios se haga joven con los jóvenes.

Participar en las sesiones bíblicas es como empezar un grato viaje hacia el encuentro con Jesús, para conocerlo mejor y estrechar su relación con él. Es un caminar junto con sus compañeros, en una aventura de descubrimiento de ustedes mismos y de Dios, a través de actividades variadas, reflexiones profundas y oraciones significativas.

Su vivencia de esta Misión será única e irrepetible. Al haber escuchado la invitación de Jesús y responder a ella, la riqueza de la Palabra de Dios, hará una gran diferencia en su vida. Les comunicará el amor misericordioso de Dios, los liberará de ataduras interiores y los orientará hacia la felicidad auténtica.

Reciban con reverencia este *Diario,* en el que escribirán sus experiencias y reflexiones durante la Misión. Es un diario personal e íntimo, que se guardará en un cofre, en estricta confidencialidad, entre las sesiones. Al final de la Misión, se les regresará con una bendición especial, para que continúen creciendo en su relación con Jesús y lleven su Palabra a otros muchos jóvenes.

El papa Benedicto XVI nos alienta a que "La Palabra de Dios sea cada vez más escuchada, contemplada, amada y vivida". En ella encontrarán, amor cuando se sienten solos, consuelo en momentos de tristeza, paz ante la angustia, perdón ante las fallas, sabiduría para hacer decisiones... y caminarán por este mundo, acompañados y guiados siempre por Jesús.

Que con generosidad le digan "sí" a Dios y acojan así a Jesús en su vida, como lo hizo María su madre y madre nuestra,

*Equipo Bíblico del Instituto Fe y Vida*

## Oración por la Misión
## "La Palabra se hace joven con los jóvenes"

Jesús, amigo, profeta y maestro nuestro:
¡Qué grandeza la tuya de querer
que tu Palabra se haga joven con los jóvenes!

Tú eres el camino, la verdad y la vida.

Eres el camino que guía nuestros pasos,
para llevar la Buena Nueva a quien anhela el amor del Padre.

Eres la verdad que nutre nuestro espíritu,
al hacer presente la buena noticia de tu Reino.

Eres la vida que transforma la nuestra,
al encarnar tu amor a través de tu Palabra.

Jesús, amigo, profeta y maestro nuestro:
¡Qué grandeza la tuya de querer
que tu Palabra se haga joven con los jóvenes!

Te pedimos de corazón por el éxito de esta Misión.

Ponemos ante ti, de manera especial,
a todos los jóvenes misioneros
y a quienes participarán en las sesiones bíblicas,
para que tu Palabra anide en sus corazones.

Ilumínalos, llénalos y fortalécelos con tu Espíritu,
para que, acompañados de María,
sean todos profetas tuyos aquí y ahora,
y así tu Palabra se haga joven con los jóvenes. Amén.

# ÍNDICE

# INTRODUCCIÓN

Este *Diario* está diseñado para escribir las reflexiones y oraciones personales de los jóvenes que participan en la Misión Bíblica Juvenil, "La Palabra se hace joven con los jóvenes". Contiene los pasajes bíblicos en que se centra cada sesión, tomados de *La Biblia Católica para Jóvenes,* para que todos los participantes puedan seguir su lectura en la misma versión de la Sagrada Escritura.

Esperamos con plena confianza en Dios, que su participación en esta Misión traerá muchos frutos. Deseamos que cada joven sea tocado por las palabras de Jesús, las guarde en su corazón y sea impulsado/a a la acción y al servicio a sus semejantes, como sucedió con los primeros discípulos de Jesús.

## El Círculo Pastoral en la Misión y en la vida de los cristianos

La Misión Bíblica Juvenil parte de la vida de los jóvenes, la ilumina con la Palabra de Dios y fomenta su desarrollo cristiano. Organiza las sesiones bíblicas utilizando el Círculo Pastoral que usó Jesús al proclamar la llegada del reino de Dios a la tierra:

1. **Ser.** Reafirma el ser de cada joven, con su originalidad, sus dones y su ser miembro de una comunidad de fe, mediante una oración, seguida de actividades que ayudan a aceptarse a sí mismo y a reconocer la propia dignidad como hijo/a de Dios.

2. **Ver.** Ayuda a ver la vida desde distintas perspectivas, a través de ejercicios de reflexión personal y comunitaria.

3. **Juzgar.** Ilumina la vida con la Palabra de Dios, para que conociendo mejor a Jesús y abriéndose a su amor, se conviertan en discípulos deseosos de seguir sus enseñanzas.

4. **Actuar.** Mueve a vivir como cristianos, al responder con entusiasmo a la Palabra de Dios, siempre dadora de vida.

5. **Evaluar.** Permite revisar la sesión bíblica completa para identificar los mensajes más relevantes para la vida actual de cada quien.

6. **Celebrar.** Revitaliza y fortalece al joven y a la comunidad para continuar su vida como discípulos de Jesús, con espíritu de fraternidad y solidaridad cristiana.

# SESIÓN 1

> *"Yo soy la vid, ustedes las ramas.*
> *El que permanece unido a mí,*
> *como yo estoy unido a él,*
> *produce mucho fruto; porque*
> *sin mí no pueden hacer nada."*
> —Juan 15, 5

> *"Yo soy el pan de vida.*
> *El que viene a mí no volverá a tener hambre,*
> *el que cree en mí no volverá a tener sed."*
> —Juan 6, 35

## OBJETIVOS

- Descubrir que estamos unidos a Jesús y formamos una comunidad con él.
- Reconocer que tenemos hambre del pan de vida.
- Convencernos de que podemos dar frutos de amor y bien.
- Responder a la invitación de Jesús de permanecer unidos a él.

## MENSAJES VITALES

- En unión con Jesús, nuestra vida siempre tiene sentido.
- Jesús es nuestro alimento para la jornada de la vida.
- Creemos en Dios Padre que Jesús nos ha revelado.
- Los cristianos estamos llamados a dar frutos.

## ORACIÓN INICIAL

Jesús, profeta por excelencia y hermano nuestro, te damos gracias por reunirnos en esta Misión, para que "tu Palabra se haga joven con los jóvenes". Queremos conocerte y amarte más para llevar tu amor a los demás.

Envía tu Espíritu sobre todos y cada uno de los aquí presentes ¡Permanece con nosotros y actúa a través de nosotros! Llévanos de tu mano a nuestro buen Padre, en compañía de María, tu madre y madre nuestra. Amén.

## ACTIVIDAD: UNIMOS NUESTROS LAZOS

Escucha con atención las instrucciones para esta actividad. Arma con tu grupo pequeño una cadena y al terminar contesta estas preguntas para comentarlas con tus compañeros:

¿Qué es lo que hace única la cadena que acaban de armar?

¿Cuáles son los eslabones más fuertes y cuáles los son más débiles?

¿Cuántas formas de unir encontraron al hacer la cadena?

## ACTIVIDAD: PENSAMOS EN NUESTROS NUDOS AFECTIVOS

### A. Respecto a tus relaciones humanas

Esta vid (planta de la uva) te representa a ti y las relaciones humanas que has construido hasta la fecha. El evangelizador/a te guiará para que en ella escribas:

1.  En el **tronco,** tu nombre.

2.  En **cada una de las cinco ramas,** el nombre de una persona con quien llevas una relación muy estrecha.

3.  En las **hojas,** los tres aspectos que te unen más a cada una de las cinco personas; por ejemplo, cariño, conversaciones interesantes, travesuras, logros alcanzados juntos, diversiones...

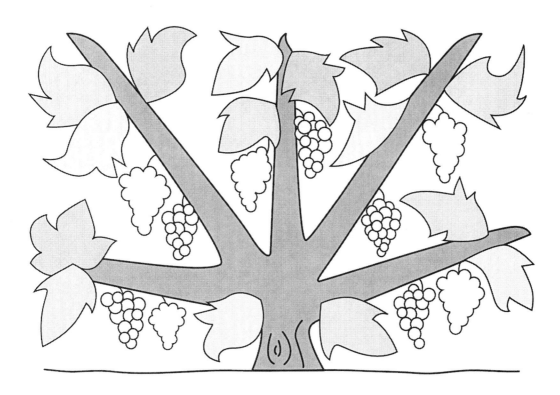

## B. Respecto a tu relación con Jesús

Esta vid representa a Jesús y tu relación con él. En ella escribe:

1. En el **tronco,** el nombre de Jesús.

2. En cada **rama,** una cualidad de Jesús que te atrae.

3. En las **hojas,** algo que te une a él; por ejemplo, amor, amistad, bautismo…

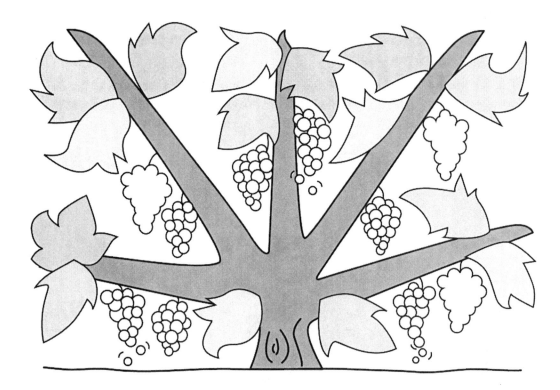

## ACTIVIDAD: ESCUCHAMOS LA PALABRA DE DIOS

El evangelizador/a proclama la Palabra de Dios. Prepara tu corazón y escucha su mensaje con atención.

Yo soy la vid verdadera, y mi Padre es el viñador. El Padre corta todas las ramas unidas a mí que no dan fruto y poda las que dan fruto, para que den más fruto. Ustedes ya están limpios, gracias a las palabras que les he comunicado. Permanezcan unidos a mí, como yo lo estoy a ustedes. Ninguna rama puede producir fruto por sí misma, sin permanecer unida a la vid, y lo mismo les ocurrirá a ustedes, si no están unidos a mí.

Yo soy la vid, ustedes las ramas. El que permanece unido a mí, como yo estoy unido a él, produce mucho fruto; porque sin mí no pueden hacer nada. El que no permanece unido a mí, es arrojado fuera, como las ramas que se secan y luego son amontonadas y arrojadas al fuego para ser quemadas.

Si permanecen unidos a mí y mis palabras permanecen en ustedes, pidan lo que quieran y lo tendrán. Mi Padre recibe gloria cuando producen fruto en abundancia, y se manifiestan como discípulos míos.

Como el Padre me ama a mí, así los amo yo a ustedes. Permanezcan en mi amor. Pero sólo permanecerán en mi amor, si ponen en práctica mis mandamientos, lo mismo que yo he puesto en práctica los mandamientos de mi Padre y permanezco en su amor. Les he dicho todo esto para que participen en mi alegría, y su alegría sea completa.

*—Juan 15, 1-11*

## REFLEXIÓN EN PEQUEÑO GRUPO

Dialoga en tu grupo pequeño. Compartan sus reflexiones sobre estas preguntas guía:

¿Cuáles son los frutos de estar unidos a Jesús?

_____

_____

_____

_____

¿Por qué quiere Jesús que estemos unidos a él y a través de él estemos unidos entre nosotros?

_____

_____

_____

_____

¿Cómo se relaciona esta lectura con tu experiencia en la actividad sobre los nudos afectivos?

_____

_____

_____

_____

# PROCLAMACIÓN DE LA PALABRA DE DIOS

El evangelizador/a proclama otro pasaje de la Palabra de Dios. Prepara tu corazón y escucha su mensaje con atención.

Yo soy el pan de vida. El que viene a mí no volverá a tener hambre; el que cree en mí nunca tendrá sed. Pero ustedes, como ya les he dicho, no creen, a pesar de haber visto. Todos los que me da el Padre vendrán a mí, y yo no rechazaré nunca al que venga a mí. Porque yo he bajado del cielo, no para hacer mi voluntad, sino la voluntad del que me envió. Y su voluntad es que yo no pierda a ninguno de los que él me ha dado, sino que los resucite en el último día. La voluntad de mi Padre es que todos los que vean al Hijo y crean en él tengan vida eterna, y yo los resucitaré en el último día.

*—Juan 6, 35-40*

# REFLEXIÓN EN GRUPO PEQUEÑO

Dialoga en tu grupo pequeño. Compartan sus reflexiones sobre estas preguntas guía:

 Una persona que tiene hambre, busca alimento; a una persona desnutrida, le urge alimentarse. ¿En qué se nota el hambre del amor de Dios entre la juventud? ¿A qué grado está desnutrida y padece enfermedades por falta de amor?

_____

_____

 Jesús quiere alimentar a los jóvenes de hoy con su amor liberador y misericordioso. Si te preguntara cómo hacerlo, ¿qué le aconsejarías?

_____

_____

## ACTIVIDAD: PREPARAMOS NUDOS PERMANENTES

Jesús quiere que estemos unidos a él, como las ramas de la vid al tronco y que nos alimentemos de él, para que demos frutos de amor en nuestras relaciones. Completa el ejercicio siguiendo estos pasos:

**Regresa a la vid que representa tu relación con Jesús, p. 10:**

1. En los cuatro racimos que no tienen uvas cayendo, escribe cómo Jesús enriquece o mejora tu vida personal.

2. En las tres siluetas de racimos de uvas, escribe aspectos de tu vida que necesitan ser nutridos por el amor de Jesús.

3. En los tres racimos con las uvas cayendo, escribe tres maneras como puedes tú llevar el amor de Jesús a personas que lo necesitan.

**Teniendo presente que cuentas con Jesús para ayudarte a amar, regresa a la vid en la p. 9, que representa tus relaciones humanas más estrechas:**

1. En el racimo con uvas, que está en la rama de cada persona, escribe una palabra que represente cómo enriqueces su vida con tu amor.

2. En la silueta del racimo de uvas, en la rama de cada persona, escribe una palabra que indique lo que puedes hacer en el futuro para enriquecer su vida con tu amor.

MBJ

## ACTIVIDAD: REVISAMOS NUESTRA VIDA ANTE JESÚS

1. Reflexiona en silencio y escribe en el papiro, el mensaje principal de Jesús para ti; sus palabras que más llegaron a tu corazón al escuchar su evangelio.

2. Dibuja en tu cruz personal de la Misión, al final de tu *Diario,* p. 43, dos o tres símbolos que representan esos mensajes.

## ESCRIBO MI ORACIÓN A JESÚS

Escribe lo que deseas decirle a Jesús en esta ocasión, después de haber escuchado su Palabra dadora de vida nueva.

NOTAS PERSONALES SOBRE LA MISIÓN. . .

**SESIÓN 2**

JESÚS, EL AMIGO QUE DA LA VIDA HOY Y SIEMPRE

*"Yo soy la resurrección y la vida. El que cree en mí, aunque haya muerto, vivirá."* —Juan 11, 25

*"Yo soy el camino, la verdad y la vida. Nadie puede llegar hasta el Padre, sino por mí."* —Juan 14, 4

CAMINO VERDAD VIDA

## OBJETIVOS

- Profundizar en el conocimiento de Jesús como salvador nuestro.

- Reflexionar sobre la necesidad de la salvación y vida que nos ofrece Jesús resucitado.

- Tomar conciencia de que la verdad revelada por Jesús, sobre Dios y sobre nosotros, es liberadora y generadora de vida.

- Anhelar la vida que Jesús nos ha prometido y disponerse a seguirlo, vivir cerca de él y tratar de parecernos a él.

## MENSAJES VITALES

- Jesús es el Mesías, el Salvador, el único capaz de darnos vida y felicidad auténticas al tiempo que nos fortifica ante los desafíos que enfrentamos.

- Creemos en la persona, las obras y las palabras de Jesús.

- Jesús nos enseña el camino, nos ofrece la verdad y nos da la vida.

- Al seguir a Jesús llegamos al Padre amoroso en esta vida y en la otra.

## ORACIÓN INICIAL

Dios nuestro, te damos gracias por habernos hecho a imagen y semejanza tuya. Gracias también por haber establecido una alianza de amor con tu pueblo y enviarnos a tu Hijo, Jesús, para sellarla y llevarla a plenitud.

Queremos que Jesús nos enseñe el camino de la felicidad y la vida auténtica junto a ti. Envía tu Espíritu para que nos ayude siempre a caminar de su mano. Te lo pedimos por tu Hijo, Nuestro Señor Jesucristo, y por intercesión de María, nuestra madre. Amén.

## ACTIVIDAD: DECIMOS UNA VERDAD Y DOS MENTIRAS

Escribe tres enunciados cortos sobre ti mismo, de los cuales uno es verdad y dos son mentira; por ejemplo: (a) soy la hermana mayor; (b) toco la guitarra y (c) me gusta bailar. Los enunciados deben ser factibles para que puedas distraer la atención de los demás, ya que el objetivo es que tus compañeros no puedan adivinar fácilmente cuál es el verdadero. Puedes escribir el enunciado verdadero en el lugar marcado (a), (b) o (c):

(a) _____

_____

_____

(b) _____

_____

_____

(c) _____

_____

_____

## ACTIVIDAD: PENSAMOS EN LO VERDADERO Y LO FALSO EN NUESTRA VIDA

Reflexiona en silencio sobre lo que escribirás en este cuadro. Te invitamos a ser honesto/a contigo mismo/a, solamente tú leerás lo que escribiste.

| VERDADERO | FALSO |
|---|---|
| Escribe tres cualidades personales o virtudes adquiridas<br><br>1.<br><br>2.<br><br>3. | Escribe dos falsedades sobre ti mismo/a, que has compartido recientemente<br><br>1.<br><br>2. |
| Escribe tres defectos tuyos o limitaciones que tienes<br><br>1.<br><br>2.<br><br>3. | Escribe dos engaños o mentiras intencionales que has hecho últimamente<br><br>1.<br><br>2. |

# REFLEXIÓN EN GRUPO PEQUEÑO

Dialoga en tu grupo pequeño. Compartan sus reflexiones sobre estas preguntas:

¿Qué te motiva a ser auténtico/a?

_____

_____

_____

_____

¿Qué consecuencias positivas trae ser auténticos, incluso sobre nuestros defectos?

_____

_____

_____

_____

¿Qué consecuencias negativas tiene ser falsos al relacionarnos con otras personas?

_____

_____

_____

_____

¿Qué necesitan hacer para ser más auténticos?

_____

_____

_____

_____

MBJ

## ACTIVIDAD: ESCUCHAMOS LA PALABRA DE DIOS

El evangelizador/a proclama la Palabra de Dios. Prepara tu corazón y escucha su mensaje con atención.

A su llegada, Jesús se encontró con que hacía ya cuatro días que Lázaro había sido sepultado. Betania está muy cerca de Jerusalén, como a dos kilómetros y medio, y muchos judíos habían ido a Betania para consolar a Marta y María por la muerte de su hermano. Tan pronto como Marta se enteró que llegaba Jesús, salió a su encuentro; María se quedó en casa. Marta dijo a Jesús:

—Señor, si hubieras estado aquí, no habría muerto mi hermano. Pero, aun así, yo sé que todo lo que pidas a Dios, él te lo concederá.

Jesús le respondió:

—Tu hermano resucitará.

Marta le dijo:

—Ya sé que resucitará cuando tenga lugar la resurrección de los muertos, al final de los tiempos.

Entonces Jesús afirmó:

—Yo soy la resurrección y la vida. El que cree en mí, aunque haya muerto, vivirá; y todo el que esté vivo y crea en mí, jamás morirá. ¿Crees esto?

Ella contestó:

—Sí, Señor; yo creo que tú eres el Mesías, el Hijo de Dios que tenía que venir a este mundo.

*—Juan 11, 17-27*

## REFLEXIÓN PERSONAL NO. 1

 ¿Qué título prefieres dar a Jesús: *Cristo, Jesucristo, Mesías o Señor*, y qué significa para ti nombrarlo así?

## REFLEXIÓN PERSONAL No. 2

¿Qué significa para ti, que Jesús haya dicho: "Yo soy la resurrección y la vida. El que cree en mí, aunque haya muerto vivirá"?

_____

_____

## REFLEXIÓN EN GRUPO PEQUEÑO

Reflexiona en silencio sobre las siguientes preguntas. Después comparte tu reflexión en tu grupo pequeño.

¿En qué ocasiones te has sentido sin ánimo, sin esperanza o con una carga emocional muy pesada?

_____

_____

_____

_____

¿Cómo has sentido que vuelves a la vida después de una dificultad muy fuerte?

_____

_____

_____

_____

¿Cuándo has sentido que tu fe en Jesús te regala vida?

_____

_____

_____

_____

## PROCLAMACIÓN DE LA PALABRA DE DIOS

El evangelizador/a proclama la Palabra de Dios. Prepara tu corazón y escucha su mensaje con atención.

No se inquieten. Crean en Dios y crean también en mí. En la casa de mi Padre hay lugar para todos; si no fuera así, ya lo habría dicho; ahora voy a prepararles ese lugar. Una vez que me haya ido y les haya preparado el lugar, regresaré y los llevaré conmigo, para que puedan estar donde voy a estar yo. Ustedes ya saben el camino para ir adonde yo voy.

Tomás le dijo:

—Pero, Señor, no sabemos adónde vas, ¿cómo vamos a saber el camino?

Jesús le respondió:

—Yo soy el camino, la verdad y la vida. Nadie puede llegar hasta el Padre, sino por mí. Si me conocieran, conocerían también a mi Padre. Desde ahora lo conocen, pues ya lo han visto.

—Juan 14, 1-7

 **EVALUAR**

## ACTIVIDAD: REVISAMOS NUESTRA VIDA ANTE JESÚS

1. Reflexiona en silencio y escribe en el papiro, el mensaje principal de Jesús para ti; sus palabras que más llegaron a tu corazón al escuchar su evangelio.

2. Dibuja en tu cruz personal de la Misión, al final del *Diario,* p. 43, dos o tres símbolos que representan esos mensajes.

 **CELEBRAR**

## ESCRIBO MI ORACIÓN A JESÚS

Escribe lo que deseas decirle a Jesús en esta ocasión, después de haber escuchado su Palabra dadora de vida nueva.

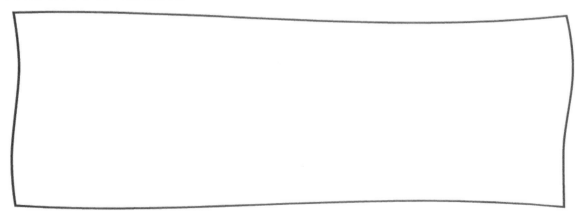

JESÚS, EL BUEN PASTOR, ME AMA, ME LLAMA Y ME DA VIDA

*"Yo soy la puerta por la que deben entrar las ovejas...*
*Todo el que entre... por esta puerta, estará a salvo, y sus esfuerzos por buscar el alimento no serán en vano."*
—Juan 10. 7. 9

*"Yo soy el buen pastor.*
*El buen pastor da la vida por sus ovejas..., conozco a mis ovejas y ellas me conocen a mí."*
—Juan 10, 11. 14

## OBJETIVOS

- Sentir el calor del amor de Jesús, quien siempre está a nuestro lado.

- Tomar conciencia de la necesidad de recurrir a Jesús, el Buen Pastor.

- Descubrir que Jesús nos llama y nos encomienda una misión.

- Responder a Jesús con todo nuestro ser, conscientes de que seguirlo implica tratar de ser como él.

## MENSAJES VITALES

- Jesús es el Buen Pastor; es mi pastor, yo soy su oveja.

- Jesús sale a mi encuentro, siempre está conmigo para darme su vida, no sólo cuando me siento débil, estoy perdido/a o he sido herido/a.

- Jesús me ama, me conoce íntimamente, me llama por mi nombre y me invita a ser parte de su comunidad de discípulos misioneros.

- Yo le respondo abriéndome a su amor y compartiéndolo con otras personas, siguiendo su ejemplo de ser buen pastor/a.

## ORACIÓN INICIAL

Padre bueno, te damos gracias porque desde nuestro bautismo nos hiciste hijos e hijas tuyos. Gracias también porque nos reúnes como el rebaño de Jesús.

A veces nos sentimos solos o desorientados y necesitamos amor, apoyo y dirección. Queremos que Jesús sea nuestro pastor, el Buen Pastor que vela por nosotros, pues sabemos que él siempre busca nuestro bien.

Envíanos tu Espíritu para que seamos fieles seguidores suyos. Te lo pedimos por tu Hijo, Nuestro Señor Jesucristo y por intercesión de María, nuestra madre. Amén.

## ACTIVIDAD: NOS RELACIONAMOS CON JESÚS COMO NUESTRO PASTOR

Reflexiona en silencio sobre algunos problemas o desafíos personales que hayas enfrentado. Sé honesto contigo mismo/a; sólo tú leerás lo que escribiste.

| Tabla 1: Problemas o desafíos personales | | |
|---|---|---|
| Problemas o desafíos serios que hayas enfrentado en tu vida | Debilidades que sentías al enfrentar el problema o desafío | Nombre de las personas que más te ayudaron y una palabra que te recuerde su consejo o ayuda |
| 1.<br><br>2. | | |

| Tabla 2: Problemas o desafíos de otras personas | | |
|---|---|---|
| Nombre de personas a las que tú has apoyado o ayudado ante un problema o desafío | Palabras que sintetizan el problema o desafío | Dones o fortalezas que tenías y te permitieron ayudarlas |
| 1. | | |
| 2. | | |

## REFLEXIÓN EN GRUPO PEQUEÑO

Dialoga con tu grupo pequeño. Compartan sus reflexiones sobre estas preguntas guía:

En tus desafíos personales, ¿a qué personas acudiste: amigos de tu edad, padres, amigos adultos, maestro/a, sacerdote...?

Ante tus problemas, ¿acudiste a Jesús? ¿Qué le pediste?

¿Por qué decidiste apoyar a otra persona que tenía problemas?

## ACTIVIDAD: ESCUCHAMOS LA PALABRA DE DIOS

El evangelizador/a proclama la Palabra de Dios. Prepara tu corazón y escucha su mensaje con atención.

Les aseguro que quien no entra por la puerta al corral de las ovejas, sino por cualquier otra parte, es ladrón y bandido. El pastor de las ovejas entra por la puerta. A éste le abre el guardián para que entre, y las ovejas escuchan su voz; él llama a las suyas por su nombre y las saca fuera del corral. Cuando han salido todas las suyas, se pone al frente de ellas y las ovejas lo siguen, pues conocen su voz. En cambio, nunca siguen a un extraño, sino que huyen de él, porque su voz les resulta desconocida (vv 1-5).

Jesús les puso esta comparación, pero ellos no comprendieron su significado.

Entonces Jesús continuó diciendo:

—Les aseguro que yo soy la puerta por la que deben entrar las ovejas. Todos los que vinieron antes que yo, eran ladrones y bandidos. Por eso, las ovejas no les hicieron caso. Yo soy la puerta. Todo el que entre en el corral de las ovejas por esta puerta, estará a salvo, y sus esfuerzos por buscar el alimento no serán en vano. El ladrón va al rebaño únicamente para robar, matar y destruir. Yo he venido para dar vida a los hombres y para que la tengan en plenitud (vv 6-10).

Yo soy el buen pastor. El buen pastor da la vida por las ovejas; no como el jornalero que ni es el verdadero pastor ni propietario de las ovejas. El jornalero cuando ve venir al lobo, las abandona y huye. Y el lobo las arrebata y las dispersa. El jornalero se porta así, porque trabaja únicamente por el sueldo y no tiene interés por las ovejas. Yo soy el buen pastor; conozco a mis ovejas y ellas me conocen a mí; lo mismo que mi Padre me conoce a mí, yo lo conozco a él y doy mi vida por las ovejas. Pero tengo otras ovejas que no están en este rebaño; también a éstas tengo que atraerlas, para que escuchen mi voz. Entonces se formará un rebaño único, bajo la guía de un solo pastor (vv 11-16).

*—Juan 10, 1-16*

## REFLEXIÓN EN GRUPO PEQUEÑO

Dialoga con tu grupo pequeño. Compartan su reflexión sobre estas preguntas guía:

¿Qué símbolos utiliza Jesús para explicar a sus discípulos quién es él?

_____

_____

_____

_____

¿Qué mensajes dadores de vida comunica Jesús al usar esa simbología?

_____

_____

_____

_____

De este evangelio, ¿qué es lo que más les llega al corazón y es motivo de vida nueva para cada uno de ustedes?

_____

_____

_____

_____

¿Qué símbolos usaría Jesús si viviera en la cultura de hoy día?

_____

_____

_____

_____

## ACTIVIDAD: RESPONDEMOS A JESÚS, QUIEN NOS LLAMA POR NUESTRO NOMBRE

| Perfil de Jesús, el Buen Pastor | |
| --- | --- |
| Lectura | Características de Jesús |
| "Les aseguro que quien no entra por la puerta al corral de las ovejas, sino por cualquier otra parte, es ladrón y bandido. El pastor de las ovejas entra por la puerta. A éste le abre el guardián para que entre, y las ovejas escuchan su voz; él llama a las suyas por su nombre y las saca fuera del corral. Cuando han salido todas las suyas, se pone al frente de ellas y las ovejas lo siguen, pues conocen su voz. En cambio, nunca siguen a un extraño, sino que huyen de él, porque su voz les resulta desconocida". —*Juan 10, 1-5* | 1.<br><br>2.<br><br>3. |
| "Entonces Jesús continuó diciendo: Les aseguro que yo soy la puerta por la que deben entrar las ovejas. Todos los que vinieron antes que yo, eran ladrones y bandidos. Por eso, las ovejas no les hicieron caso. Yo soy la puerta. Todo el que entre en el corral de las ovejas por esta puerta, estará a salvo, y sus esfuerzos por buscar el alimento no serán en vano. El ladrón va al rebaño únicamente para robar, matar y destruir. Yo he venido para dar vida a los hombres y para que la tengan en plenitud". —*Juan 10, 7-10* | 1.<br><br>2.<br><br>3. |
| "Yo soy el buen pastor. El buen pastor da la vida por las ovejas; no como el jornalero que ni es el verdadero pastor ni propietario de las ovejas. El jornalero cuando ve venir al lobo, las abandona y huye. Y el lobo las arrebata y las dispersa. El jornalero se porta así, porque trabaja únicamente por el sueldo y no tiene interés por las ovejas. Yo soy el buen pastor; conozco a mis ovejas y ellas me conocen a mí; lo mismo que mi Padre me conoce a mí, yo lo conozco a él y doy mi vida por las ovejas. Pero tengo otras ovejas que no están en este rebaño; también a éstas tengo que atraerlas, para que escuchen mi voz. Entonces se formará un rebaño único, bajo la guía de un solo pastor". —*Juan 10, 11-16* | 1.<br><br>2.<br><br>3. |
| **Las dos características de Jesús, el Buen Pastor, que más me atraen, para ser semejante a él, en mi medio ambiente, son:**<br><br>1.                   2. | |

MBJ

## ACTIVIDAD: REVISAMOS NUESTRA VIDA ANTE JESÚS

1. Reflexiona en silencio y escribe en el papiro, el mensaje principal de Jesús para ti; sus palabras que más llegaron a tu corazón al escuchar su evangelio.

2. Dibuja en tu cruz personal de la Misión, al final de tu *Diario,* p. 43, dos o tres símbolos que representan esos mensajes.

CELEBRAR ♪𝄞♫♪

## ESCRIBO MI ORACIÓN A JESÚS

Escribe lo que le dijiste a Jesús al firmar tu nombre en la puerta con su imagen del Buen Pastor dibujada en ella.

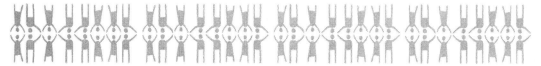

NOTAS PERSONALES SOBRE LA MISIÓN. . .

## JESÚS ES LA LUZ DEL MUNDO; YO QUIERO SER LUZ PARA MIS SEMEJANTES

*"Yo soy la luz del mundo.*
*El que me siga*
*no caminará a oscuras,*
*sino que tendrá la luz de la vida."*
—Juan 8, 12

*"Ustedes son la luz del mundo....*
*Brille su luz delante*
*de las personas."*
—Mateo 5, 14. 16

## OBJETIVOS

- Tomar conciencia de la necesidad de que la Palabra de Dios ilumine la vida de toda persona.
- Aceptar a Jesús como la luz que ilumina nuestra vida e historia personal.
- Identificar en Jesús el modelo de persona plena que debemos seguir.
- Hacer el propósito de ser luz para los demás.

## MENSAJES VITALES

- La luz de Jesús nos ayuda a ver las cosas desde el punto de vista de Dios.
- Quiero ser como Jesús, luz para el mundo.
- Me esforzaré para que la luz de Jesús brille, a través de mí, para los demás.
- Jesús me invita a ser plenamente yo mismo/a, respondiendo a mi misión y vocación personal como cristiano/a.

## ORACIÓN INICIAL

Padre bueno, te damos gracias por habernos dado ojos para ver la grandeza de tu creación y las necesidades de nuestro pueblo. Gracias también por los dones de tu Espíritu, que nos permiten ver la vida con la mirada de Jesús.

Hoy te agradecemos en especial el habernos enviado a Jesús, la luz del mundo que ilumina nuestra vida. Él es el modelo de persona plena; queremos ser como él; te lo pedimos por tu Hijo, Nuestro Señor Jesucristo y por intercesión de María, nuestra madre. Amén.

## ACTIVIDAD: BUSCAMOS A CIEGAS

Si eres del grupo de los observadores, utiliza este espacio para anotar en él tus observaciones.

MBJ

## ACTIVIDAD: VEMOS LA REALIDAD BAJO VARIAS LUCES

En parejas, observen y comenten lo que ven este *collage* a la luz del evangelio sobre:

- La vida de los jóvenes
- Las relaciones humanas

- La vida cultural y de la sociedad
- La vivencia de nuestra fe

## ACTIVIDAD: ESCUCHAMOS LA PALABRA DE DIOS

### 1. MEDITACIÓN DIRIGIDA SOBRE EL SIGNIFICADO DE LA LUZ

Lee en silencio el siguiente texto y subraya las ideas que consideres importantes:

En lenguaje bíblico, la luz simboliza lo bueno y lo hermoso que hay en el mundo: la vida, el amor, la felicidad auténtica, la salvación plena; la integridad moral, la protección afectiva... La luz es todo aquello que ilumina el camino hacia Dios, venciendo así las tinieblas, que en la Biblia representan el mal.

Más fuerte aún, en la Biblia, la luz es símbolo de Dios y de la persona de Jesús. Dios es Luz y Jesús es la misma Luz, que con su vida, palabra y acciones refleja las cualidades de Dios. Así lo confesamos cada vez que rezamos el Credo:

Creo en un solo Señor, Jesucristo, Hijo único de Dios, nacido del Padre antes de todos los siglos: Dios de Dios, *Luz de Luz,* Dios verdadero de Dios verdadero.

La luz fue lo primero que Dios creó. Sólo con luz podemos ver y caminar seguros. Por eso envió a grandes líderes como Moisés y los profetas a guiar al pueblo de Israel en el camino de la alianza, hasta la llegada de Jesús.

Jesús es la luz que brilla en la oscuridad y jamás se extingue. Vino a desterrar las tinieblas, a traernos la salvación plena y a revelarnos al Padre.

La luz del evangelio nos ayuda a ver la vida desde el punto de vista de Dios: a reconocer nuestra verdadera dignidad; a identificar los valores auténticos y distinguir lo que genera vida y lo que causa muerte. La luz que nos da la Palabra de Dios nos lleva a acoger con fe y esperanza a Jesús, Dios hecho hombre por amor a nosotros.

Jesús nos comunica su luz a través de la fe, la inserta en nuestro corazón a través del Bautismo y la mantiene encendida con la Eucaristía. De ahí que en el Bautismo, la primera Comunión y la celebración de la Eucaristía, las velas sean signo de la presencia de Jesús en nuestra vida.

En la oscuridad nos cuesta trabajo ver las cosas buenas de la vida cotidiana, ser agradecidos con las personas que nos apoyan y nos ayudan, apreciar las bendiciones y dones recibidos, encontrar maneras de hacer el bien... Para caminar como discípulos de Jesús y cumplir nuestra misión necesitamos ver la vida bajo la luz de Dios.

Por eso en las sesiones bíblicas hemos hablado de *ver y juzgar* como Jesús. Su Palabra nos ilumina y nos comunica la verdad sobre Dios, el ser humano, la creación entera y el misterio de la salvación, para alcanzar la felicidad y el amor que Dios tiene destinados, para todos y cada uno de nosotros, que de esta forma lleguemos a participar de la luz eterna.

## PROCLAMACIÓN DEL EVANGELIO DE JUAN

El evangelizador/a proclamará la Palabra, prepara tu corazón y escucha con atención.

Jesús volvió a hablar a la gente, diciendo:

—Yo soy la luz del mundo. El que me siga no caminará a oscuras, sino que tendrá la luz de la vida.

*—Juan 8, 12*

## ACTIVIDAD: ESCRIBIMOS LAS LUCES QUE RECIBIMOS DE LA MISIÓN

| La Palabra de Jesús | Luces importantes que recibí en esta Misión |
|---|---|
| "Yo soy la **vid,** ustedes las ramas. El que permanece unido a mí, como yo estoy unido a él, produce mucho fruto; porque sin mí no pueden hacer nada". *—Juan 15, 5* | |
| "Yo soy el **pan** de vida. El que viene a mí no volverá a tener hambre, el que cree en mí no volverá a tener sed". *—Juan 6, 35* | |
| "Yo soy la **resurrección** y la **vida.** El que cree en mí aunque haya muerto, vivirá". *—Juan 11, 25* | |
| "Yo soy el **camino, la verdad** y la **vida.** Nadie puede llegar hasta el Padre, sino por mí". *—Juan 14, 6* | |
| "Yo soy la **puerta** por la que deben entrar las ovejas… Todo el que entre por esta puerta, estará a salvo, y sus esfuerzos por buscar alimento no serán en vano". *—Juan 10, 7. 9* | |
| "Yo soy el **buen pastor.** El buen pastor da la vida por sus ovejas… Conozco a mis ovejas y ellas me conocen a mí". *—Juan 10, 11. 14* | |
| "Yo soy la **luz** del mundo. El que me siga no caminará a oscuras, sino que tendrá la luz de la vida". *—Juan 8, 12* | |

## PROCLAMACIÓN DEL EVANGELIO DE MATEO

El evangelizador/a proclamará la Palabra, prepara tu corazón y escucha con atención.

> Ustedes son la luz del mundo. No puede ocultarse una ciudad situada en la cima de una montaña. Tampoco se enciende una lámpara de aceite para cubrirla con una vasija de barro; sino que se pone sobre el candelero, para que alumbre a todos los que están en la casa. Brille su luz delante de los hombres de modo que, al ver sus buenas obras, den gloria a su Padre que está en los cielos.
>
> *—Mateo 5, 14-16*

## REFLEXIÓN PERSONAL

Reflexiona con las siguientes preguntas ahora que conoces mejor a Jesús:

¿Qué significa llevar la luz de Jesús a tus medios ambientes?

¿Cómo puede Jesús iluminar la vida de tu familia a través de ti?

¿De qué maneras puedes ser la luz de Jesús para tus amigos, en tu escuela o trabajo y en tu barrio?

¿Te invita Jesús hacer algo especial con personas necesitadas, para que puedan ver su vida bajo la luz del evangelio?

## ACTIVIDAD: REVISAMOS NUESTRA VIDA ANTE JESÚS

1. Reflexiona en silencio y escribe en el papiro, el mensaje principal de Jesús para ti; sus palabras que más llegaron a tu corazón al escuchar su evangelio.

2. Dibuja en tu cruz personal de la Misión, al final de tu *Diario,* p. 43, dos o tres símbolos que representan esos mensajes.

## ESCRIBO MI ORACIÓN A JESÚS

Escribe lo que deseas decirle a Jesús en esta ocasión, después de haber escuchado su Palabra dadora de vida nueva.

# Canción lema de la Primera Misión

## "LA PALABRA SE HACE JOVEN CON LOS JÓVENES"

*Martín Valverde*

Él es la puerta, atrévete a entrar.
Dale un por qué a tu vida;
él es el buen pastor que se nos da
y conoce a sus ovejas.

Para aquéllos que buscan vivir
y alcanzar sus sueños,
la luz que brilla y llama al corazón
la voz del Buen Pastor.

Él es el pan de vida, cómelo;
nunca más tendrás hambre.
Verdadero pan que nos da Dios
y da la vida al mundo.

Da tu paso, atrévete a creer,
para que tengas vida.
Escucha hoy la voz de tu pastor
llamándote a vivir.

Jesús te llama para llevar
su Palabra a todas partes.
Él te eligió, te hace apóstol,
renueva tu juventud.

Te está invitando para llevar
la buena nueva de su amor.
Oye su voz, que la Palabra
se hace joven contigo.

Cristo es el camino, es la verdad,
y solo él da vida.
La verdadera vid, unido a él
tu juventud da fruto.

La resurrección, aquél que crea en él
aunque muera vivirá.
Camina junto a él,
la verdad descubre y vive ya.

Llevan en su pecho un nuevo ardor:
amor de Dios que llama.
Portadores de la buena nueva
van compartiendo vida.

Son profetas que Dios levantó
y llevan su Palabra.
Son testigos desde el corazón
y ésta es su canción.

### Coro

Él me llamó, hoy llevo
su Palabra a todas partes.
Él me eligió, me hizo apóstol,
renovó mi juventud.

Él me invitó, hoy llevo
la buena noticia de Jesús.
Oigo su voz y su Palabra
se hace joven conmigo.

Él nos llamó, llevamos
su Palabra a todas partes.
Nos eligió, nos hizo apóstoles
renovó la juventud.

Nos invitó, llevamos
la buena noticia de Jesús.
Él nos habló y su Palabra
es vida de la juventud.

# NOTAS PERSONALES SOBRE LA MISIÓN. . .

NOTAS PERSONALES SOBRE LA MISIÓN. . .

MI CRUZ PERSONAL DE LA MISIÓN

REVISO MI VIDA ANTE JESÚS

Breinigsville, PA USA
29 November 2010
250293BV00002B/1/P